'사고력수학의 시작'

팡세

pensées

P2

7세 │ 퍼즐과 전략

사고가 자라는 수학
씨투엠

사고력 수학을 묻고
팡세가 답해요

Q: 사고력 수학은 '왜' 해야 하나요?

사고력 수학은 아이에게 낯선 문제를 접하게 함으로써 여러 가지 문제 해결 방법을 아이 스스로 생각하게 하는 것에 목적이 있어요. 정석적인 한 가지 풀이법만 알고 있는 아이는 결국 중등 이후에 나오는 응용 문제에 대한 해결력이 현저히 떨어지게 되지요. 반면 사고력 수학을 통해 여러 가지 풀이법을 스스로 생각하고 알아낸 경험이 있는 아이들은 한 번 막히는 문제도 다른 방법으로 뚫어낼 힘이 생기게 된답니다. 이러한 힘을 기르는 데 있어 사고력 수학이 가장 크게 도움이 된다고 확신해요.

Q: 사고력 수학이 '필수'인가요?

No but Yes! 초등 수학에서 가장 필수적인 것은 교과와 연산이지요. 또 중등에서의 서술형 평가를 대비하기 위한 서술형 학습과 어려운 중등 도형을 헤쳐나가기 위한 도형 학습 정도를 추가하면 돼요. 사고력 수학은 그 다음으로 중요하다고 할 수 있어요. 다만 만약 중등 이후에도 상위권을 꾸준하게 유지하겠다고 하시면 사고력 수학은 필수랍니다.

Q: 사고력 수학, 꼭 '어려운' 문제를 풀어야 하나요?

No! 기존의 사고력 수학 교재가 어려운 이유는 영재교육원 입시 때문이었어요. 상위권 중에서도 더 잘하는 아이, 즉 영재를 골라내는 시험에 사고력수학 문제가 단골로 출제되었고, 이에 대비하기 위해 만들어진 것이 초창기 사고력 수학 교재이지요. 하지만 모든 아이들이 영재일 수는 없고, 또 그래야할 필요도 없어요. 사고력 수학으로 영재를 확실하게 선별할 수 있는 것도 아니에요. 따라서 사고력 수학의 원래 목적, 즉 새로운 문제를 풀 수 있는 능력만 기를 수 있다면 난이도는 중요하지 않답니다. 오히려 어려운 문제는 수학에 대한 아이들의 자신감을 떨어뜨리는 부작용이 있다는 점! 반드시 기억해야 해요.

Q: 사고력 수학 학습에서 어떤 점에 '유의'해야 할까요?

가장 중요한 것은 아이가 스스로 방법을 생각할 수 있는 시간을 충분히 주는 거예요. 엄마나 선생님이 옆에서 방법을 바로 알려주거나 해답지를 줘버리면 사고력 수학의 효과는 없는 거나 마찬가지랍니다. 설령 문제를 못 풀더라도 아이가 스스로 고민하는 습관을 가지고, 방법을 찾아가는 시간을 늘리는 것이 아이의 문제해결력과 집중력을 기르는 방법이라고 꼭 새기며 아이가 스스로 발전할 수 있는 가능성을 믿어 보세요.

또 하나 더 강조하고 싶은 것은 문제의 답을 모두 맞힐 필요가 없다는 거예요. 사고력 수학 문제를 백점 맞는다고 해서 바로 성적이 쑥쑥 오르는 것이 아니에요. 사고력 수학은 훗날 아이가 더 어려운 문제를 풀기 위한 수학적 힘을 기르는 과정으로 봐야 하는 거지요. 그러니 아이가 하나 맞히고 틀리는 것에 일희일비하지 말고 우리 아이가 문제를 어떤 방법으로 풀려고 했고, 왜 어려워 하는지 표현하게 하는 것이 훨씬 중요하답니다. 사고력 수학은 문제의 결과인 답보다 답을 찾아가는 과정 그 자체에 의미가 있다는 사실을 꼭! 꼭! 기억해 주세요.

팡세의 구성과 특징

1. 패턴, 퍼즐과 전략, 유추, 카운팅 - 새로운 시대에 맞는 새로운 사고력 영역!

2. 아이가 혼자서도 술술 풀어나가며 자신감을 기르기에 딱 좋은 난이도!

3. 하루 10분 1장만 풀어도 초등에서 꼭 키워야 하는 사고력을 쑥쑥!

일일 소주제 학습

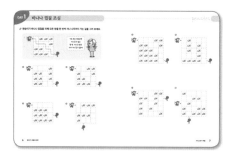

하루에 10분씩 매일 1장씩만 꾸준히 풀면 돼.

주차별 확인학습

5일 동안 배운 것 중 가장 중요한 문제를 복습하는 거야!

월간 마무리 평가

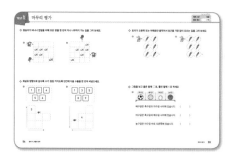

4주 동안 공부한 내용 중 어디가 부족한지 알 수 있다. 삐리삐리~

이 책의 차례

P2

pensées

길 잇기 퍼즐

바나나 껍질 조심

✏️ 원숭이가 바나나 껍질을 피해 모든 방을 한 번씩 지나 나무까지 가는 길을 그려 보세요.

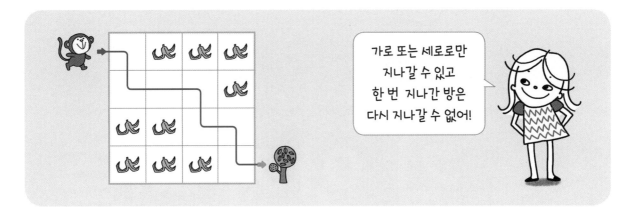

❶
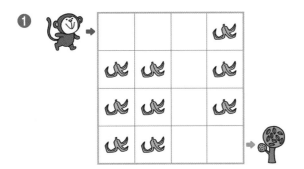

❷

❸

❹

⑤

⑥

⑦

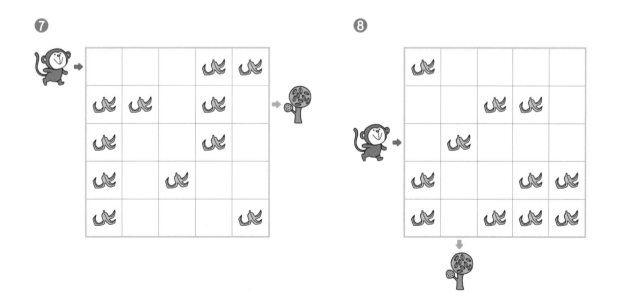

⑧

✏️ 토끼가 밤송이를 피해 모든 방을 한 번씩 지나 당근까지 가는 길을 그려 보세요.

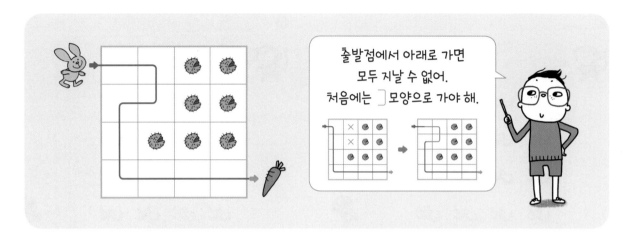

1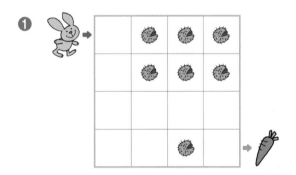

2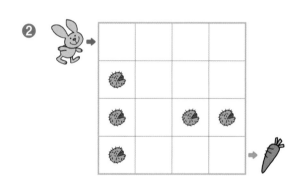

3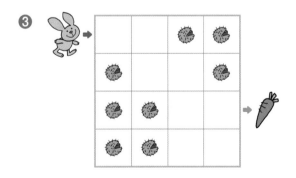

4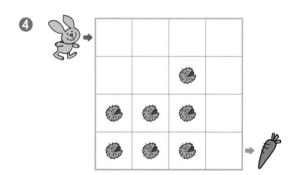

❺

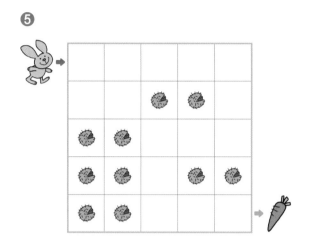

❻

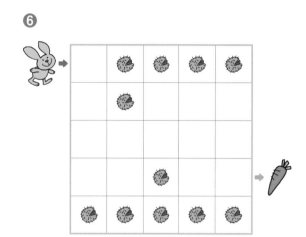

❼

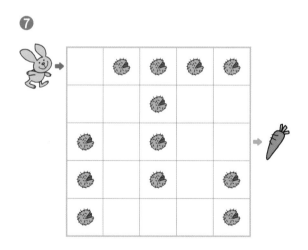

❽

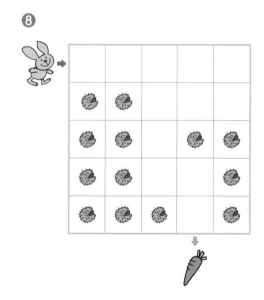

늑대 조심

✏️ 돼지가 늑대를 피해 모든 방을 한 번씩 지나 집까지 가는 길을 그려 보세요.

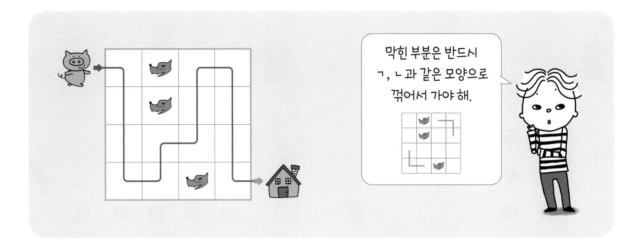

❶

❷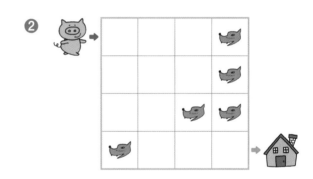

❸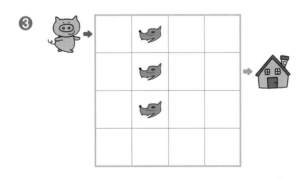

❹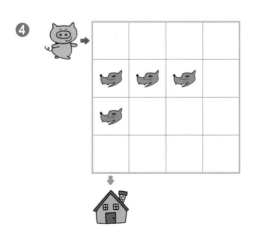

5

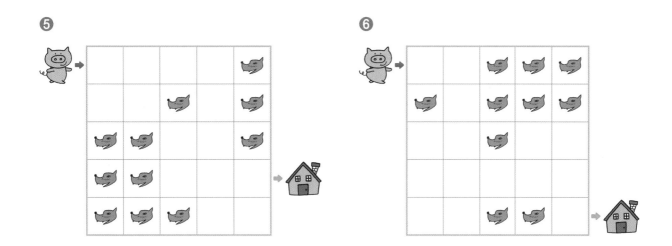

6

7

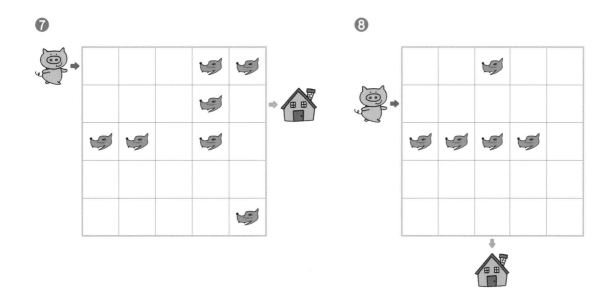

8

연속수 잇기 (1)

✏️ 강아지가 모든 방을 한 번씩 지나 먹이까지 갈 수 있도록 1부터 6까지의 수를 순서대로 연결하세요.

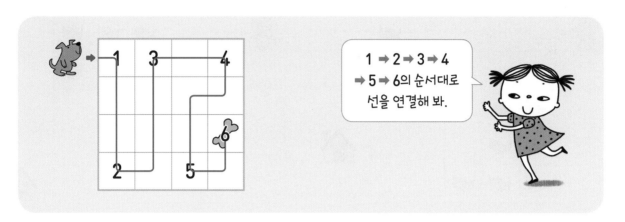

❶

2			1
		3	🦴6
	4		
5			

❷

4			5
		3	
1		2	
🦴6			

❸

🦴6	1		
		3	
	4		
5			2

❹

4		1	
		3	2
			5
🦴6			

❺

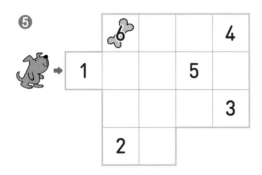

❻

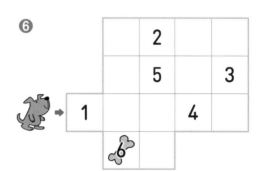

❼

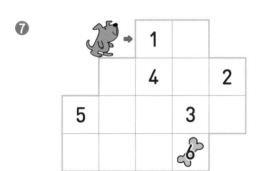

❽

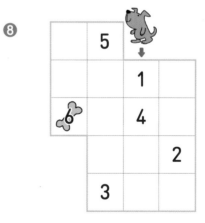

✏️ 공주가 모든 방을 한 번씩 지나 사과까지 갈 수 있도록 1부터 6까지의 수를 순서대로 연결하세요.

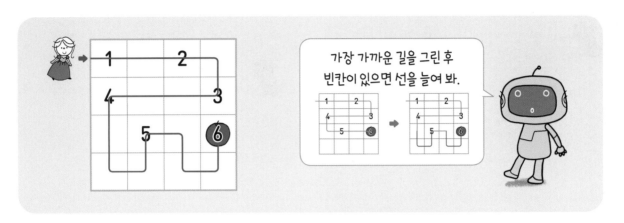

가장 가까운 길을 그린 후 빈칸이 있으면 선을 늘여 봐.

❶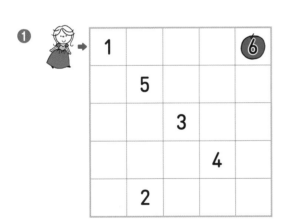

❷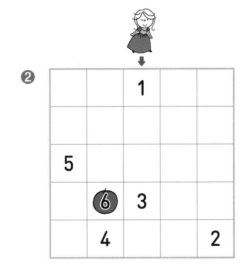

❸

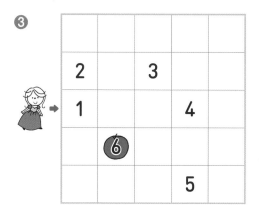

❹

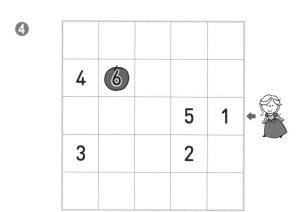

❺

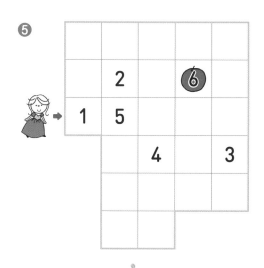

❻

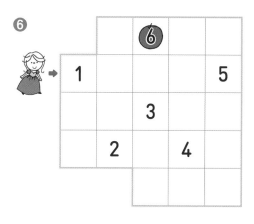

✏️ 돼지가 늑대를 피해 모든 방을 한 번씩 지나 집까지 가는 길을 그려 보세요.

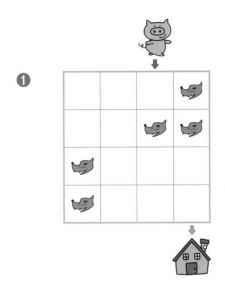

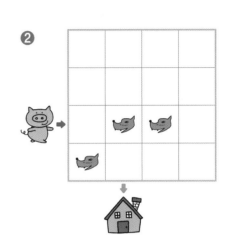

✏️ 공주가 모든 방을 한 번씩 지나 사과까지 갈 수 있도록 1부터 6까지의 수를 순서대로 연결하세요.

❸

4			
			3
	5	⑥	
	1		2

❹

	3		
2		4	
1			
		⑥	
			5

수 넣기 퍼즐

큰 수 화살표

✏️ 선으로 연결된 두 수 중 더 큰 수가 있는 쪽으로 화살표를 그려 보세요.

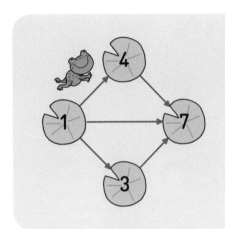

3이 1보다 크니까
1에서 3으로
화살표를 나타내 보자.

❶

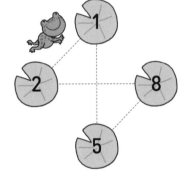

❷

❸

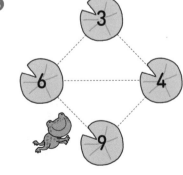

❹

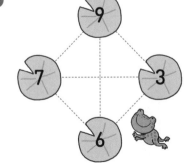

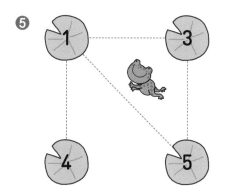

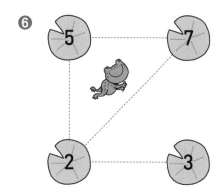

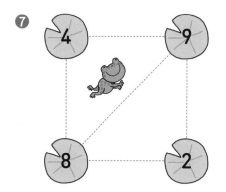

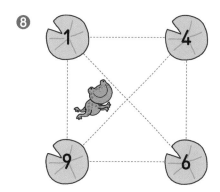

순서대로 넣기 (1)

✏️ 화살표가 가리키는 수가 더 크도록 ⚪ 안에 다음 수들을 한 번씩 써넣으세요.

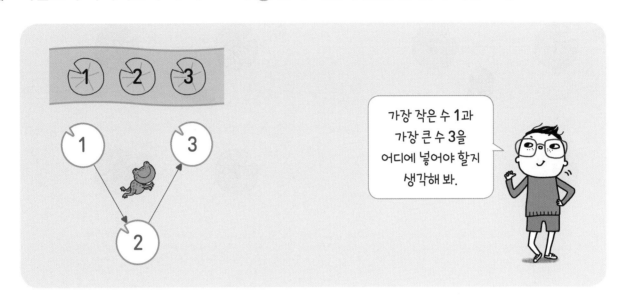

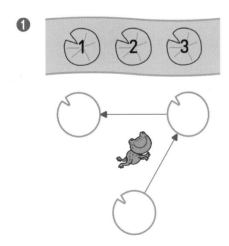

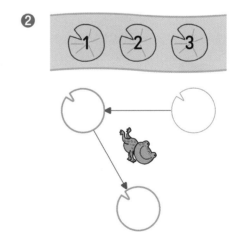

❸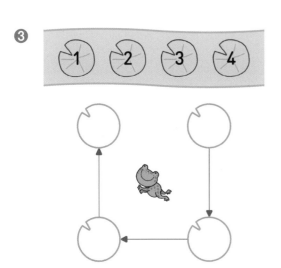

❹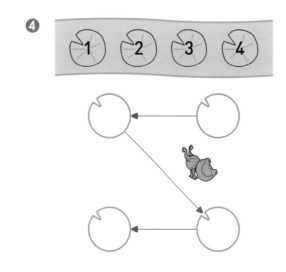

❺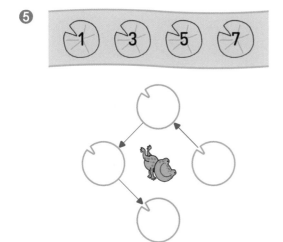

❻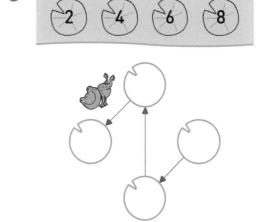

순서대로 넣기 (2)

✏️ 화살표가 가리키는 수가 더 크도록 ◯ 안에 다음 수들을 한 번씩 써넣으세요.

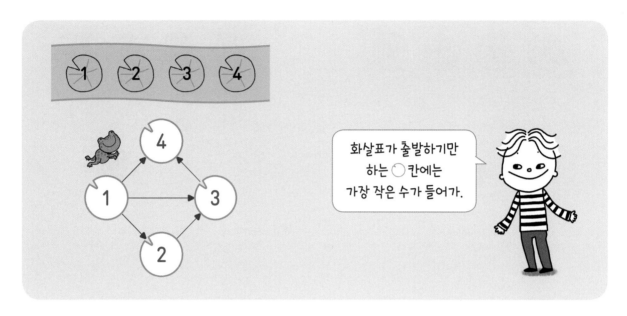

①

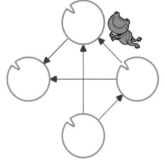

②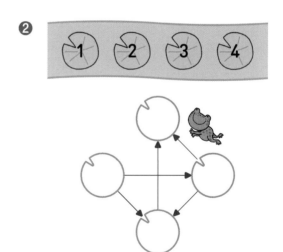

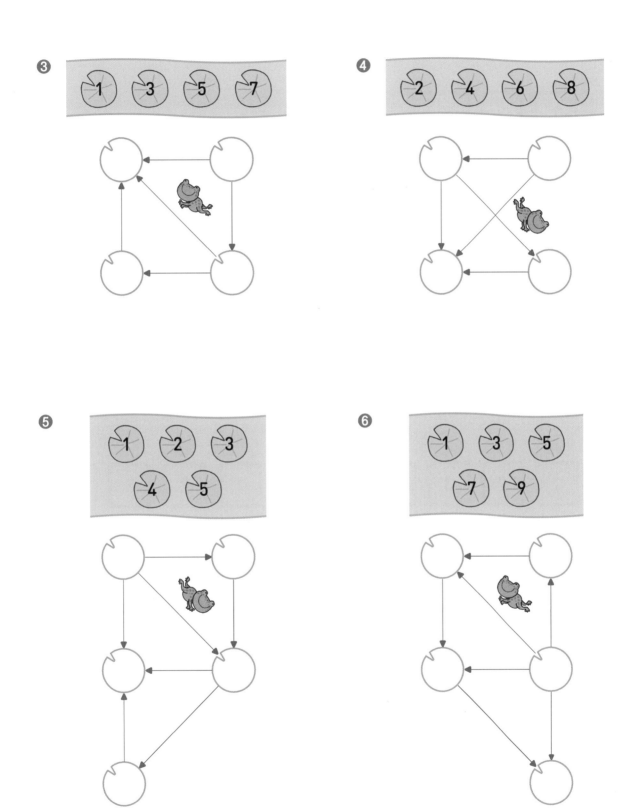

❸ 1 3 5 7

❹ 2 4 6 8

❺ 1 2 3 4 5

❻ 1 3 5 7 9

점점 크게 화살표 (1)

✏️ 화살표 방향으로 갈수록 수가 점점 커지도록 빈칸에 다음 수들을 한 번씩 써넣으세요.

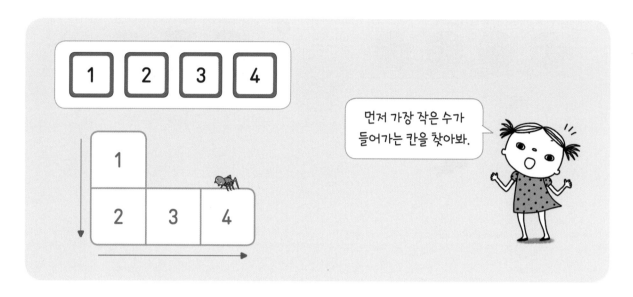

1

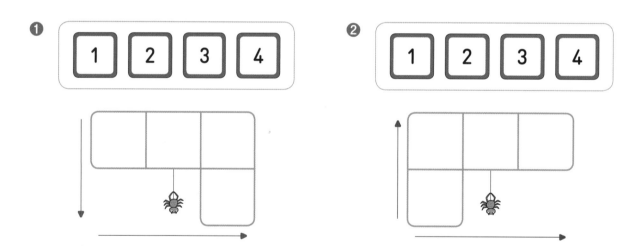

2

❸

| 1 | 3 | 5 | 7 |

❹

| 2 | 4 | 6 | 8 |

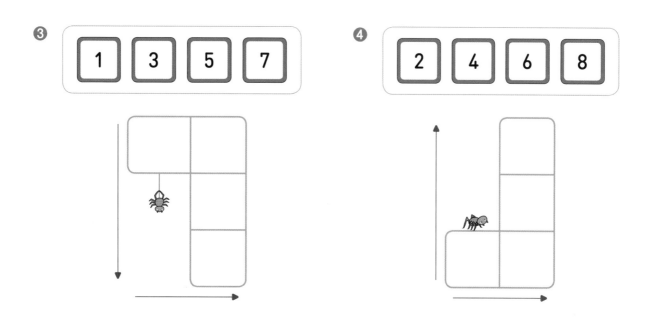

❺

| 1 | 2 | 3 |
| 4 | 5 |

❻

| 1 | 2 | 3 |
| 4 | 5 |

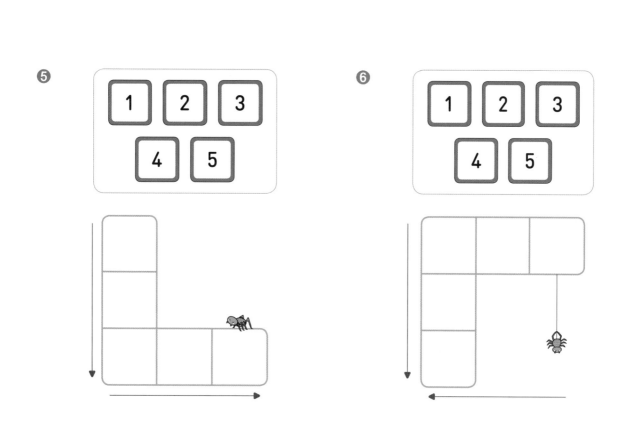

점점 크게 화살표 (2)

✏️ 화살표 방향으로 갈수록 수가 점점 커지도록 빈칸에 다음 수들을 한 번씩 써넣으세요.

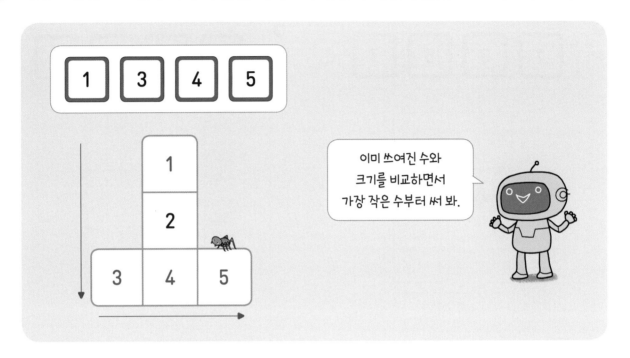

이미 쓰여진 수와 크기를 비교하면서 가장 작은 수부터 써 봐.

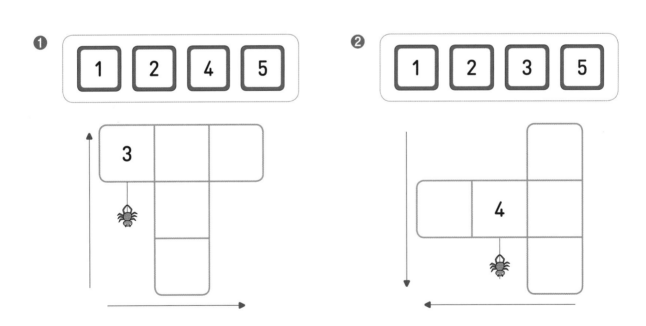

❸

❹

❺

| 1 | 2 | 3 |
| 5 | 6 | |

❻

| 1 | 2 | 4 |
| 5 | 6 | |

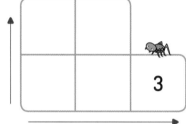

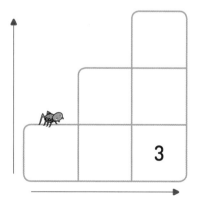

✏️ 화살표가 가리키는 수가 더 크도록 ◯ 안에 다음 수들을 한 번씩 써넣으세요.

❶

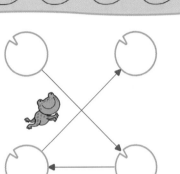

❷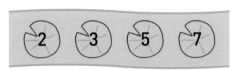

✏️ 화살표 방향으로 갈수록 수가 점점 커지도록 빈칸에 다음 수들을 한 번씩 써넣으세요.

❸

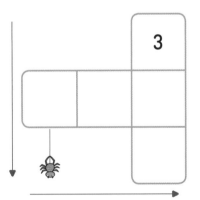

❹

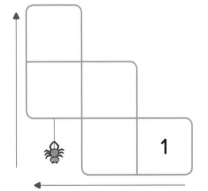

3
주차

모으기 퍼즐

✏️ 다람쥐가 길을 따라가며 모으는 도토리의 수를 구해 보세요.

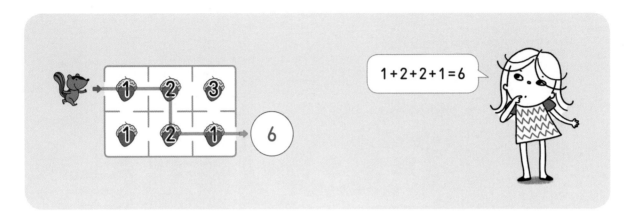

❶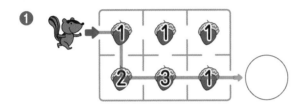

❷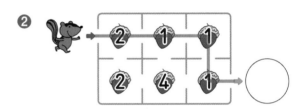

❸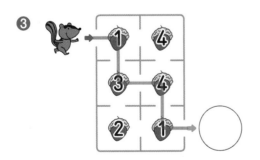

❹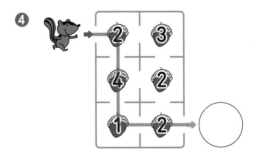

⑤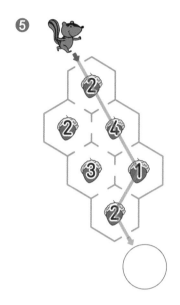

⑥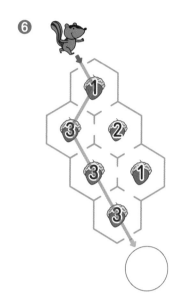

⑦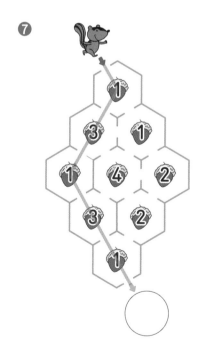

⑧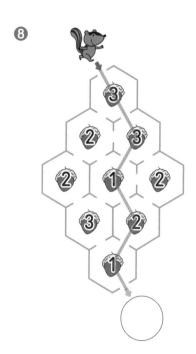

도토리 모으기 (2)

✏️ 도토리 수의 합이 ◯ 안의 수가 되도록 길을 그려 보세요.

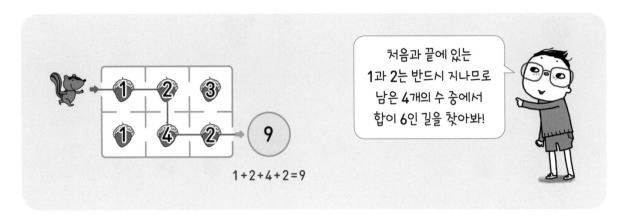

1+2+4+2=9

처음과 끝에 있는
1과 2는 반드시 지나므로
남은 4개의 수 중에서
합이 6인 길을 찾아봐!

❶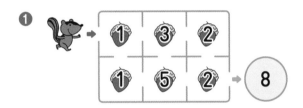

❷

❸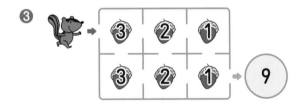

❹

⑤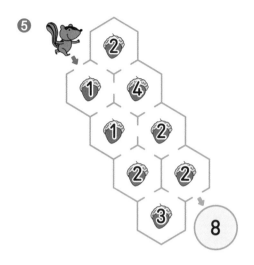

⑥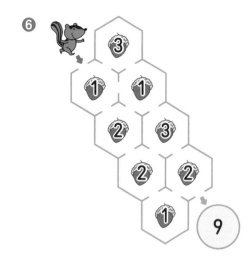

⑦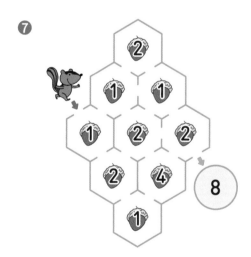

⑧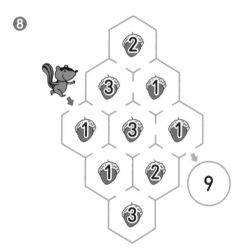

가장 좋은 길

✏️ 당근을 가장 많이 모을 수 있는 길에 ◯표 하세요.

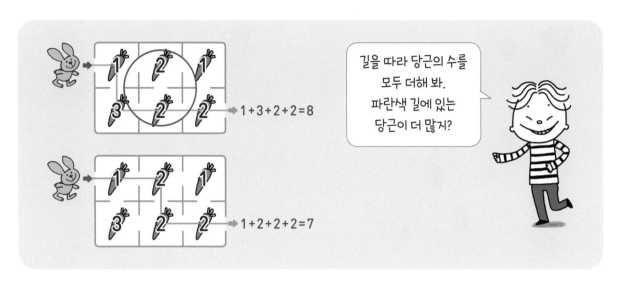

①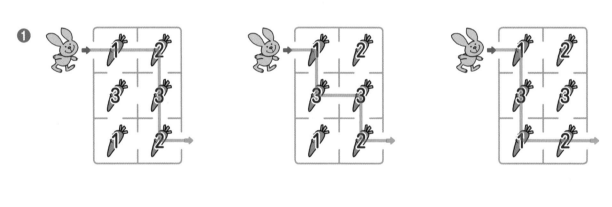

②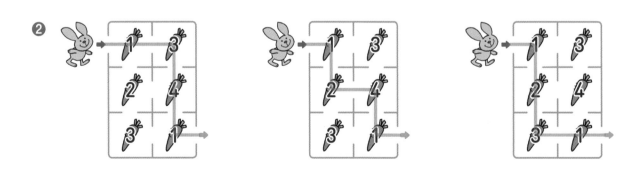

❸

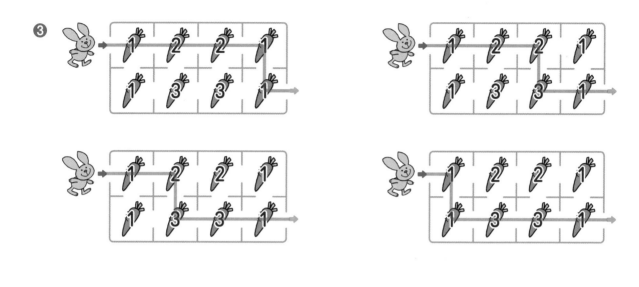

❹

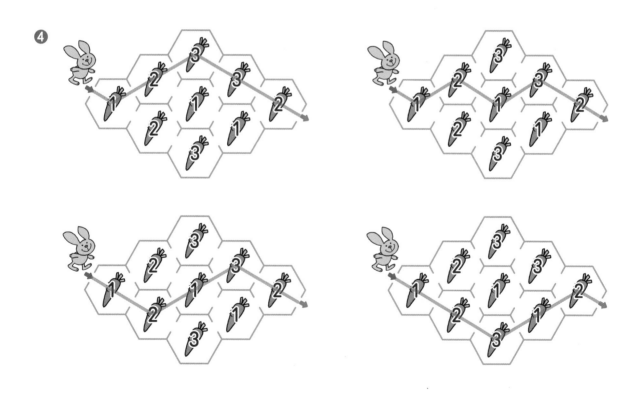

가능한 많이

✏️ 토끼가 오른쪽 또는 아래로만 움직여서 당근을 가장 많이 모으는 길을 그려 보세요.

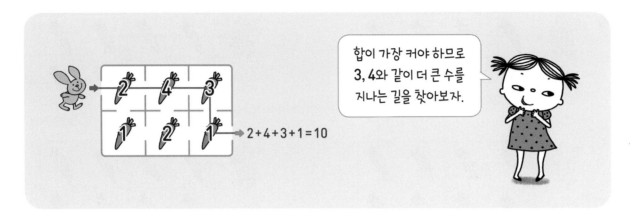

①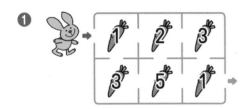

②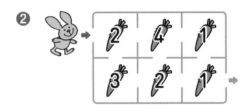

③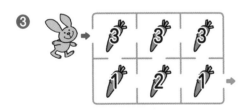

④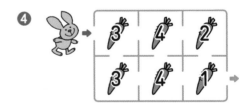

❺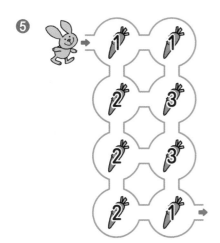

❻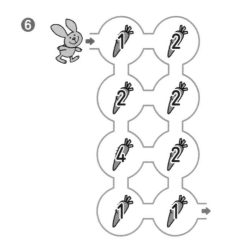

❼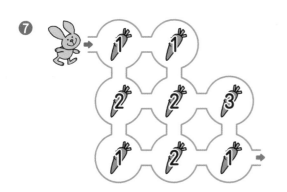

❽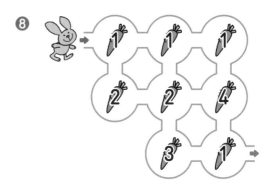

가능한 적게

✏️ 원숭이가 오른쪽 또는 아래로만 움직여서 나뭇가지를 가장 적게 지나는 길을 그려 보세요.

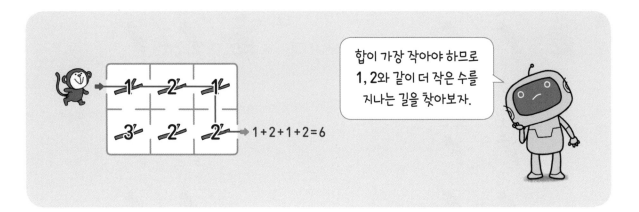

①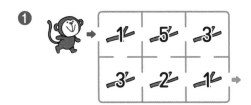

②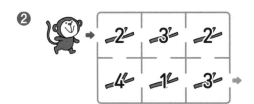

③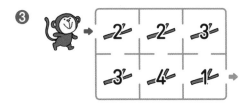

④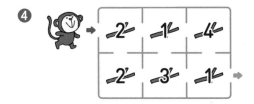

⑤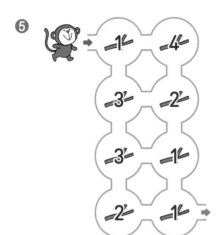

⑥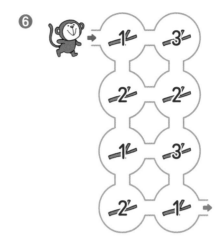

⑦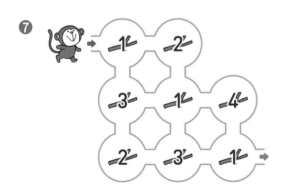

⑧

✏️ 토끼가 오른쪽 또는 아래로만 움직여서 당근을 가장 많이 모으는 길을 그려 보세요.

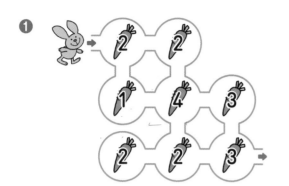

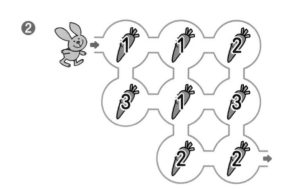

✏️ 원숭이가 오른쪽 또는 아래로만 움직여서 나뭇가지를 가장 적게 지나는 길을 그려 보세요.

③

방향 퍼즐

4
주차

동물 아파트 (1)

✏️ 그림을 보고 옳은 말에 ◯표, 틀린 말에 ✕표 하세요.

🐯는 3층에 살고 있습니다. (◯)

🐻은 1층에 살고 있습니다. (✕)

맨 위층이 3층이고,
3층의 바로 아래층은
2층이야.

❶

🐱는 1층에 살고 있습니다. ( )

🦝는 3층에 살고 있습니다. ( )

🐰는 2층에 살고 있지 않습니다. ( )

❷

4층
3층
2층
1층

는 **3**층에 살고 있습니다.　　　(　　　)

은 **4**층에 살고 있지 않습니다.　　(　　　)

는 **2**층에 살고 있습니다.　　　(　　　)

❸

4층
3층
2층
1층

는 **4**층에 살고 있습니다.　　　(　　　)

는 **1**층에 살고 있습니다.　　　(　　　)

는 **3**층에 살고 있지 않습니다.　　(　　　)

✎ 대화를 보고 몇 층에 어떤 동물이 살고 있는지 찾아 알맞은 동물의 이름을 써넣으세요.

①

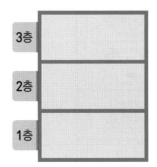

❷

강아지　　너구리　　토끼　　고양이

- : 나는 보다 아래층에 살아.

- : 나는 와 사이 층에 살아.

- : 나는 **4**층에 살아.

4층	
3층	
2층	
1층	

❸

호랑이　　강아지　　곰　　너구리

- : 바로 아래층에 내가 살아.

- : 바로 아래층에 내가 살아.

- : 나는 맨 위층에 살아.

4층	
3층	
2층	
1층	

선반 위 나란히 (1)

✏️ 그림을 보고 옳은 말에 ○표, 틀린 말에 ✕표 하세요.

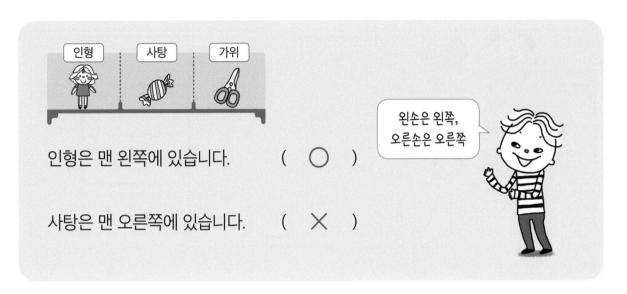

| 인형 | 사탕 | 가위 |

인형은 맨 왼쪽에 있습니다.　　　(○)

사탕은 맨 오른쪽에 있습니다.　　(✕)

왼손은 왼쪽,
오른손은 오른쪽

❶

| 칫솔 | 수건 | 비누 |

비누는 가운데에 있습니다.　　　　　(　)

칫솔은 맨 왼쪽에 있습니다.　　　　　(　)

수건은 비누 바로 오른쪽에 있습니다.　(　)

❷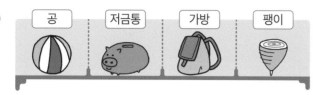

팽이는 맨 오른쪽에 있습니다.　　　　(　　　)

가방은 팽이 바로 왼쪽에 있습니다.　　　　(　　　)

저금통은 공 바로 왼쪽에 있습니다.　　　　(　　　)

❸

사과는 맨 왼쪽에 있습니다.　　　　(　　　)

딸기는 수박 바로 왼쪽에 있습니다.　　　　(　　　)

수박은 사과와 귤 사이에 있습니다.　　　　(　　　)

선반 위 나란히 (2)

✎ 설명을 보고 선반 위의 빈칸에 알맞은 물건의 이름을 써넣으세요.

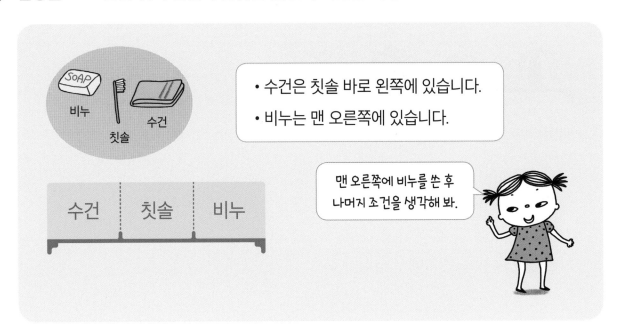

- 수건은 칫솔 바로 왼쪽에 있습니다.
- 비누는 맨 오른쪽에 있습니다.

맨 오른쪽에 비누를 쓴 후 나머지 조건을 생각해 봐.

| 수건 | 칫솔 | 비누 |

❶

- 인형 바로 왼쪽에 가위가 있습니다.
- 인형 바로 오른쪽에 사탕이 있습니다.

❷

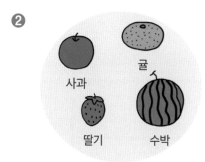

- 사과 바로 왼쪽에 딸기가 있습니다.
- 수박은 사과 바로 오른쪽에 있습니다.
- 귤은 맨 왼쪽에 있습니다.

❸

- 가방 바로 왼쪽에 팽이가 있습니다.
- 팽이와 공은 바로 옆에 있지 않습니다.
- 저금통은 맨 오른쪽에 있습니다.

✏ 설명을 보고 서랍장의 빈칸에 알맞은 물건의 이름을 써넣으세요.

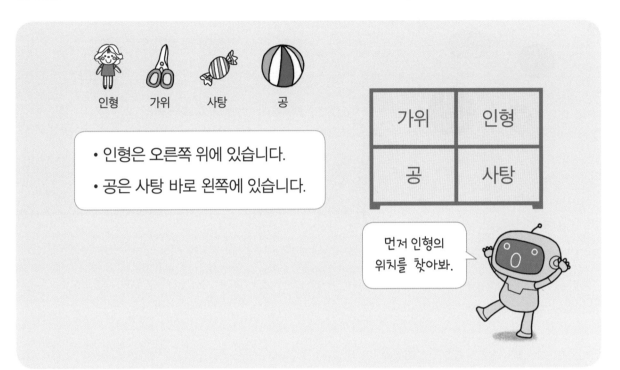

❶

연필   지우개   가위

- 지우개는 위에 있습니다.
- 가위는 연필 바로 왼쪽에 있습니다.

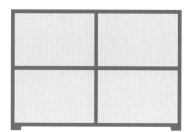

❷

접시　　주전자　　숟가락　　국자

- 주전자와 국자는 모두 오른쪽에 있습니다.
- 숟가락은 왼쪽 위에 있습니다.
- 접시는 국자 바로 옆에 있습니다.

❸

야구공　　축구공　　농구공　　배구공

- 야구공과 축구공은 위에 있습니다.
- 배구공 바로 위에 야구공이 있습니다.

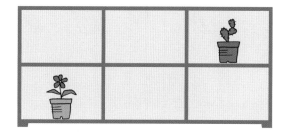

✏️ 설명을 보고 선반 위의 빈칸에 알맞은 물건의 이름을 써넣으세요.

❶

- 지우개의 왼쪽에는 아무것도 없습니다.
- 딱풀은 가위와 연필 사이에 있습니다.
- 연필은 맨 오른쪽에 있습니다.

🗒️ 설명을 보고 서랍장의 빈칸에 알맞은 물건의 이름을 써넣으세요.

❷

당근   양파   배추   오이

- 당근은 맨 위에 있습니다.
- 배추는 양파 바로 왼쪽에 있습니다.

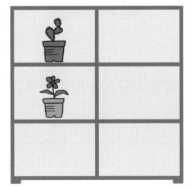

마무리 평가

마무리 평가는 앞에서 공부한 4주차의 유형이 다음과 같은 순서로 나와요.
틀린 문제는 몇 주차인지 확인하여 반드시 다시 한 번 학습하도록 해요.

1주차	3주차
2주차	4주차

✿ 원숭이가 바나나 껍질을 피해 모든 방을 한 번씩 지나 나무까지 가는 길을 그려 보세요.

✿ 화살표 방향으로 갈수록 수가 점점 커지도록 빈칸에 다음 수들을 한 번씩 써넣으세요.

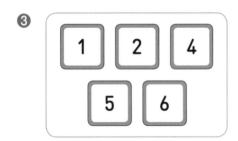

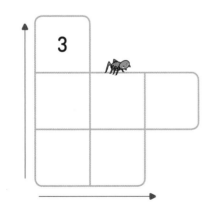

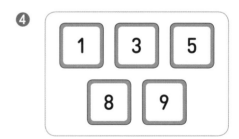

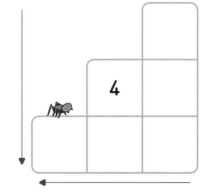

♣ 토끼가 오른쪽 또는 아래로만 움직여서 당근을 가장 많이 모으는 길을 그려 보세요.

❺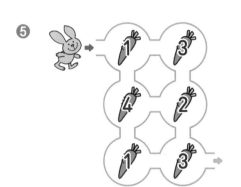

❻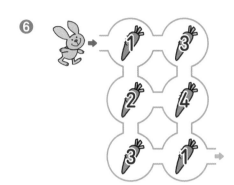

♣ 그림을 보고 옳은 말에 ○표, 틀린 말에 ✕표 하세요.

❼

배구공은 축구공과 야구공 사이에 있습니다.　　(　　　)

야구공은 축구공과 배구공 사이에 있습니다.　　(　　　)

농구공은 야구공 바로 오른쪽에 있습니다.　　(　　　)

✿ 토끼가 밤송이를 피해 모든 방을 한 번씩 지나 당근까지 가는 길을 그려 보세요.

❶

❷

✿ 선으로 연결된 두 수 중 더 큰 수가 있는 쪽으로 화살표를 그려 보세요.

❸

❹

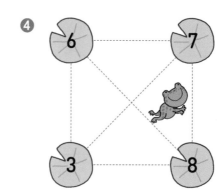

✤ 원숭이가 오른쪽 또는 아래로만 움직여서 나뭇가지를 가장 적게 지나는 길을 그려 보세요.

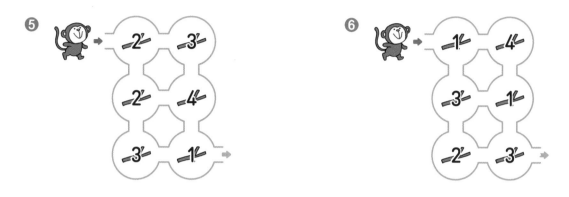

✤ 설명을 보고 선반 위의 빈칸에 알맞은 물건의 이름을 써넣으세요.

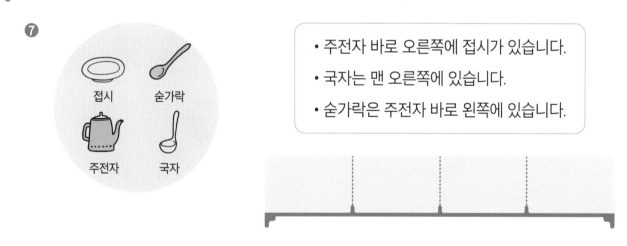

• 주전자 바로 오른쪽에 접시가 있습니다.
• 국자는 맨 오른쪽에 있습니다.
• 숟가락은 주전자 바로 왼쪽에 있습니다.

♣ 돼지가 늑대를 피해 모든 방을 한 번씩 지나 집까지 가는 길을 그려 보세요.

❶

❷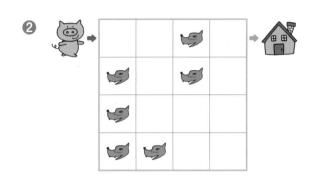

♣ 화살표가 가리키는 수가 더 크도록 ◯ 안에 다음 수들을 한 번씩 써넣으세요.

❸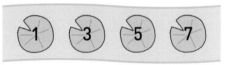

❹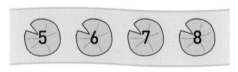

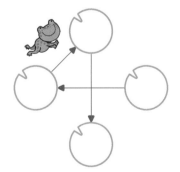

✿ 다람쥐가 길을 따라가며 모으는 도토리의 수를 구해 보세요.

❺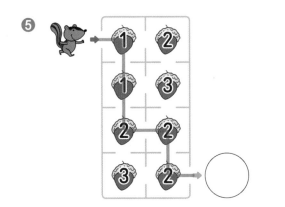

❻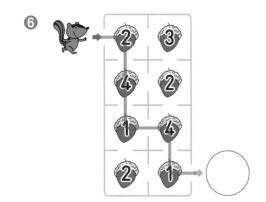

✿ 설명을 보고 서랍장의 빈칸에 알맞은 물건의 이름을 써넣으세요.

❼

> • 공은 가위 바로 위에 있습니다.
> • 사탕은 맨 오른쪽에 있습니다.

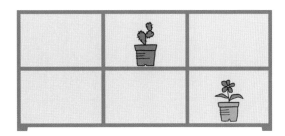

✥ 강아지가 모든 방을 한 번씩 지나 먹이까지 갈 수 있도록 1부터 6까지의 수를 순서대로 연결하세요.

❶

		3	🦴
			5
1		4	
	2		

❷

		3	
2			4
1	🦴		
	5		

✥ 화살표가 가리키는 수가 더 크도록 ◯ 안에 다음 수들을 한 번씩 써넣으세요.

❸

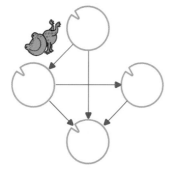

❹

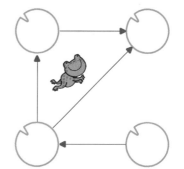

✤ 도토리 수의 합이 ◯ 안의 수가 되도록 길을 그려 보세요.

❺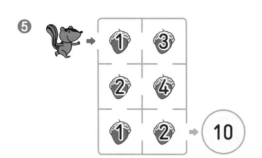

❻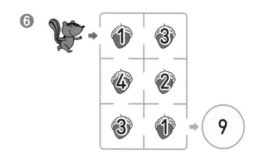

✤ 그림을 보고 옳은 말에 ◯표, 틀린 말에 ✕표 하세요.

❼

🐯는 **3**층에 살고 있습니다.   (   )

🦝는 **2**층에 살고 있지 않습니다.   (   )

🐻은 **4**층에 살고 있습니다.   (   )

공주가 모든 방을 한 번씩 지나 사과까지 갈 수 있도록 1부터 6까지의 수를 순서대로 연결하세요.

❶

2			3	
	5		⑥	
1	4			

❷

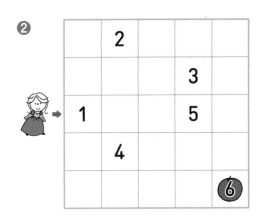

화살표 방향으로 갈수록 수가 점점 커지도록 빈칸에 다음 수들을 한 번씩 써넣으세요.

❸

1	3	5	7

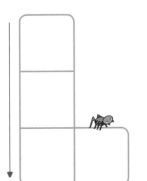

❹

4	5	7	8

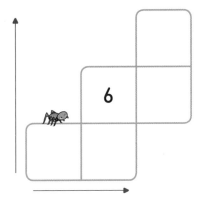

♣ 당근을 가장 많이 모을 수 있는 길을 찾아 ◯표 하세요.

❺

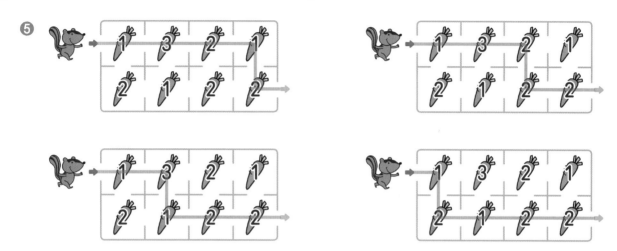

♣ 대화를 보고 몇 층에 어떤 동물이 살고 있는지 찾아 알맞은 동물의 이름을 써넣으세요.

❻

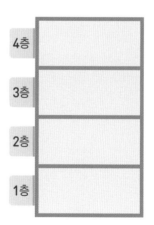

토끼   곰   고양이   강아지

- 🐻 : 🐰 바로 아래층에 내가 살아.

- 🐱 : 🐶 바로 위층에 내가 살아.

- 🐶 : 나는 **1**층에 살아.

4층	
3층	
2층	
1층	

pensées

네이버 공식 지원 카페 필즈엠

씨투엠에듀 공식 인스타그램

'사고력수학의 시작'

과정

pensées

P2
정답과 풀이

1주차

길 잇기 퍼즐

DAY 1

바나나 껍질 조심

📝 원숭이가 바나나 껍질을 피해 모든 발을 한 번씩 지나 바나나 나무까지 가는 길을 그려 보세요.

가로 또는 세로로만
지나갈 수 있고
한 번 지나간 자리는
다시 지나갈 수 없어요.

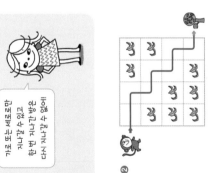

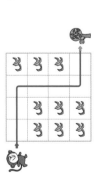

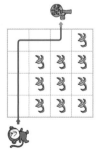

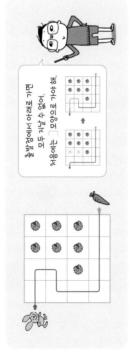

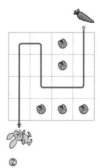

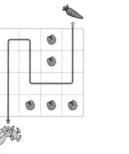

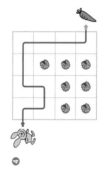

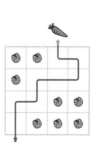

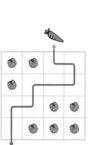

DAY 2

밤송이 조심

🖊 토끼가 밤송이를 피해 모든 방을 한 번씩 지나 당근까지 가는 길을 그려 보세요.

출발점에서 이어야 해.
모나 크래스 어닐 수 없어.
처음에는 ☐ 모양으로 가야 해.

①

②

③

④

⑤

⑥

⑦

⑧

1주차 길 잇기 퍼즐

DAY 3

늑대 조심

▨ 돼지가 늑대를 피해 모든 방을 한 번씩 지나 집까지 가는 길을 그려 보세요.

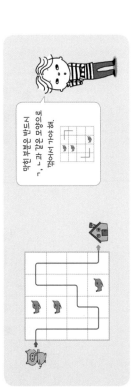

①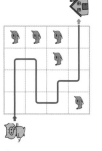

③

②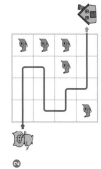

④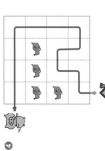

⑤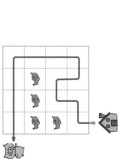

⑥

⑦

⑧

pensées

DAY 4

연속수 잇기 (1)

✎ 강아지가 모든 방을 한 번씩 지나 먹이까지 갈 수 있도록 1부터 6까지의 수를 순서대로 연결하세요.

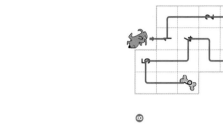

1 → 2 → 3 → 4 → 5 → 6의 순서대로 연결하면 돼.

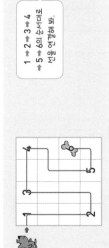

❶

❷

❸

❹

❺

❻

❼

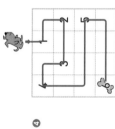

❽

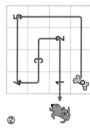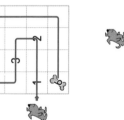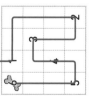

1주차 길 잇기 퍼즐

DAY 5

연속수 잇기 (2)

✏ 공주가 모든 방을 한 번씩 지나 사과까지 갈 수 있도록 1부터 6까지의 수를 순서대로 연결하세요.

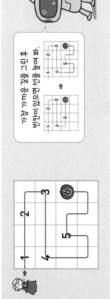

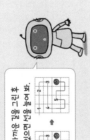

가장 가까운 길을 그린 후
번호에 있는 편선을 늘여 봐.

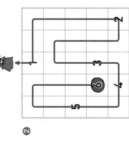

❶

❷

이외에도 여러 가지 방법이 있습니다.

---

pensées

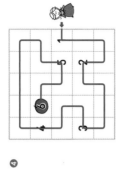

④

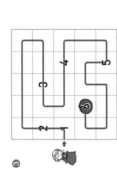

③

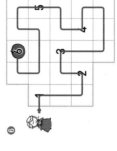

⑥

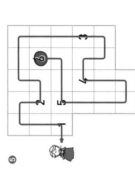

⑤

이외에도 여러 가지 방법이 있습니다.

마녀가 늑대를 피해 모든 방을 한 번씩 지나 집까지 가는 길을 그려 보세요.

①

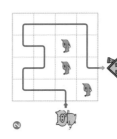

②

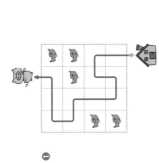

공주가 모든 방을 한 번씩 지나 사과까지 갈 수 있도록 1부터 6까지의 수를 순서대로 연결하세요.

③

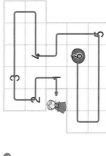

④

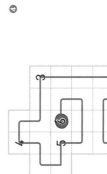

이외에도 여러 가지 방법이 있습니다.

2주차 수 넣기 퍼즐

큰 수 화살표

✏️ 선으로 연결된 두 수 중 더 큰 수가 있는 쪽으로 화살표를 그려 보세요.

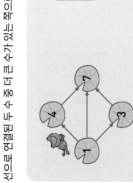

3이 1보다 크니까
1에서 3으로
화살표를 나타내 보자.

❶

❷

❸

❹

---

pensées

❺

❻

❼

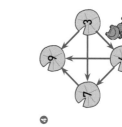

❽

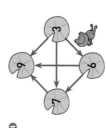

DAY 2

순서대로 넣기 (1)

✎ 화살표가 가리키는 수가 더 크도록 ◯ 안에 다음 수들을 한 번씩 써넣으세요.

가장 작은 수 1과 가장 큰 수 3을 어디에 넣어야 할지 생각해 봐.

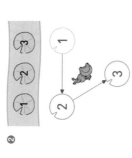

❶

❷

❸

❹

❺

❻

수 넣기 퍼즐

DAY 3

순서대로 넣기 (2)

화살표가 가리키는 수가 더 크도록 ○ 안에 다음 수들을 한 번씩 써넣으세요.

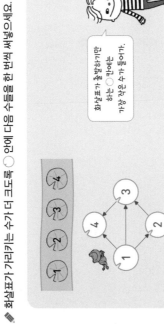

화살표가 출발하거나 하는 ○ 칸에는 가장 작은 수가 들어가.

❶

❷

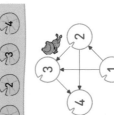

❸

❹

❺

❻

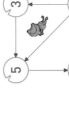

DAY 4

점점 크게 화살표 (1)

🖎 화살표 방향으로 갈수록 수가 점점 커지도록 빈칸에 다음 수들을 한 번씩 써넣으세요.

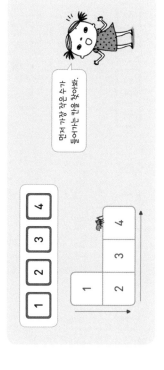

먼저 가장 작은 수가 들어가는 칸을 찾아봐.

❶

❷

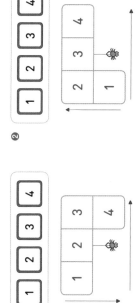

❸

❹

❺

❻

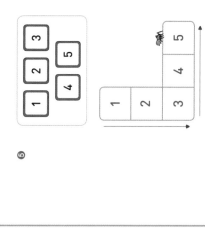

DAY 5

점점 크게 화살표 (2)

✏️ 화살표 방향으로 갈수록 수가 점점 커지도록 빈칸에 다음 수들을 한 번씩 써넣으세요.

이미 쓰여진 수의
크기를 비교하면서
가장 작은 수부터 써 봐.

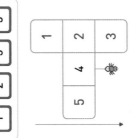

① 화살표가 가리키는 수가 더 크도록 ◯ 안에 다음 수들을 한 번씩 써넣으세요.

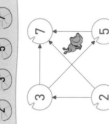
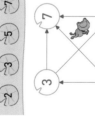

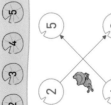

② 화살표 방향으로 갈수록 수가 점점 커지도록 빈칸에 다음 수들을 한 번씩 써넣으세요.

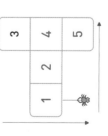
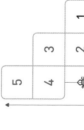

3주차 모으기 퍼즐

도토리 모으기 (1)

◆ 다람쥐가 길을 따라가며 모으는 도토리의 수를 구해 보세요.

1+2+2+1=6

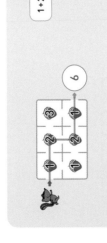

6

❷

5

2+1+1+1=5

❹

9

2+4+1+2=9

❶ 7

1+2+3+1=7

❸ 9

1+3+4+1=9

⑤ 9

2+4+1+2=9

⑥ 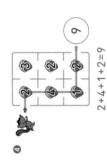 10

1+3+3+3=10

⑦ 9

1+3+1+3+1=9

⑧  10

3+3+1+2+1=10

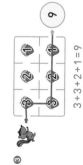

DAY 2

도토리 모으기 (2)

◈ 도토리 수의 합이 ◯ 안의 수가 되도록 길을 그려 보세요.

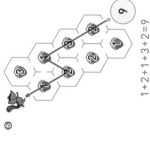

처음과 끝도 N 반드시 지나므로 1과 2는 반드시 지나므로 남은 4개의 수 중에서 합이 6인 길을 찾아야 해.

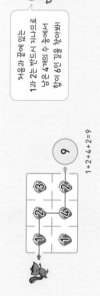

①
1+2+4+2=9
9

②
2+1+3+1=7
7

③
3+3+2+1=9
9

④
2+4+1+1=8
8

⑤
1+1+2+2=8
8

⑥
1+2+1+3+2=9
9

⑦
1+2+2+1+2=8
8

⑧
1+3+3+1+1=9
9

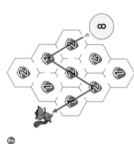
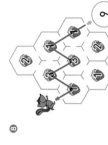

32   평세 P2.패출과 전략

3주_모으기 퍼즐   33

DAY 3

가장 좋은 길

당근을 가장 많이 모을 수 있는 길에 ○표 하세요.

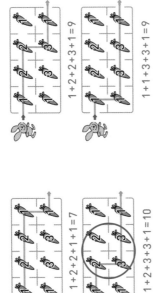

1+3+2+2=8

1+2+2+2=7

길을 따라 당근의 수를 모두 더해 봐. 파란색 길에 있는 당근이 더 많지?

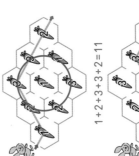
1+3+3+2=9

1+2+3+2=8

1+3+1+2=7

1+2+3+1=7

1+2+4+1=8

1+2+3+1=7

1+3+4+1=9

❶

❷

pensées

1+2+2+3+1=9

1+1+3+3+1=9

❸
1+2+2+1+1=7

1+2+3+3+1=10

1+2+1+3+2=9

1+2+3+1+2=9

❹
1+2+3+3+2=11

1+2+1+3+2=9

DAY 4 가능한 많이

토끼가 오른쪽 또는 아래로만 움직여서 당근을 가장 많이 모으는 길을 그려 보세요.

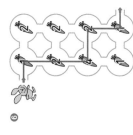

합이 가장 커야 하므로 3, 4와 같이 더 큰 수를 지나는 길을 찾아봐.

2 + 4 + 3 + 1 = 10

❶

1 + 3 + 5 + 1 = 10

❷

2 + 4 + 2 + 1 = 9

❸

3 + 3 + 3 + 1 = 10

❹

3 + 4 + 4 + 1 = 12

❺
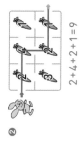

1 + 2 + 3 + 3 + 1 = 10

❻

1 + 2 + 4 + 2 + 1 = 10

❼

1 + 2 + 2 + 3 + 1 = 9

❽
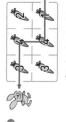

1 + 2 + 2 + 4 + 1 = 10

3주차 모으기 퍼즐

DAY 5

가능한 적게

🖋 원숭이가 오른쪽 또는 아래로만 움직여서 나뭇가지를 가장 적게 지나는 길을 그려 보세요.

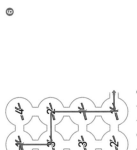

합이 가장 작아야 하므로 1, 2와 같이 더 작은 수를 지나는 길을 찾아보자.

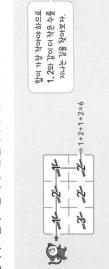

1+2+1+2=6

①

1+3+2+1=7

②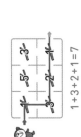

2+3+1+3=9

③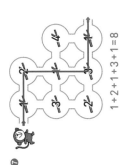

2+2+3+1=8

④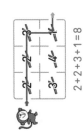

2+1+3+1=7

⑤

1+3+2+1+1=8

⑥

1+2+1+2+1=7

⑦

1+2+1+3+1=8

⑧

2+1+2+2+1=8

확인학습

◆ 토끼가 오른쪽 또는 아래로만 움직여서 당근을 가장 많이 모으는 길을 그려 보세요.

❶

2 + 2 + 4 + 3 + 3 = 14

❷

1 + 3 + 1 + 3 + 2 = 10

◆ 원숭이가 오른쪽 또는 아래로만 움직여서 나뭇가지를 가장 적게 지나는 길을 그려 보세요.

❸

2 + 1 + 1 + 2 + 2 = 8

❹

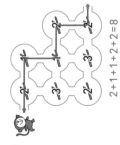

3 + 1 + 2 + 2 + 2 = 10

pensées

②

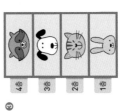

4층	
3층	
2층	
1층	

🐰 는 3층에 살고 있습니다. (◯)

🐻 은 4층에 살고 있지 않습니다. (✕)

🐱 는 2층에 살고 있습니다. (✕)

③

4층	
3층	
2층	
1층	

🐶 는 4층에 살고 있습니다. (✕)

🐰 는 1층에 살고 있습니다. (◯)

🐱 는 3층에 살고 있지 않습니다. (◯)

4주차 방향 퍼즐

DAY 1

동물 아파트 (1)

✏️ 그림을 보고 옳은 말에 ◯표, 틀린 말에 ✕표 하세요.

3층	
2층	
1층	

🐱 는 3층에 살고 있습니다. (◯)

🐻 은 1층에 살고 있습니다. (✕)

맨 위층이 3층이고,
3층의 바로 아래층은
2층이야.

①

3층	
2층	
1층	

🐱 는 1층에 살고 있습니다. (✕)

🐱 는 3층에 살고 있습니다. (◯)

🐰 는 2층에 살고 있지 않습니다. (◯)

DAY 2

동물 아파트 (2)

대화를 보고 몇 층에 어떤 동물이 살고 있는지 찾아 알맞은 동물의 이름을 써넣으세요.

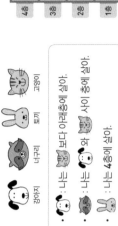

3층	강아지
2층	고양이
1층	너구리

강아지 : 나는 바로 위층에 살아.
고양이 : 나는 1층에 살아.

먼저 1층에 너구리를 쓴 후 나머지 조건을 생각해 봐.

①

3층	토끼
2층	호랑이
1층	곰

곰 : 나는 맨 아래층에 살아.
호랑이 : 나는 바로 아래층에 살아.

②

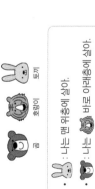

4층	토끼
3층	고양이
2층	너구리
1층	강아지

강아지 : 나는 보다 아래층에 살아.
고양이 : 나는 네 아래 층에 살아.
토끼 : 나는 4층에 살아.

③

4층	너구리
3층	곰
2층	호랑이
1층	강아지

강아지 : 나는 바로 아래층에 내가 살아.
곰 : 나는 바로 아래층에 내가 살아.
호랑이 : 나는 맨 위층에 살아.

4주차 방향 퍼즐

DAY 3

선반 위 나란히 (1)

✏️ 그림을 보고 옳은 말에 ○표, 틀린 말에 ✕표 하세요.

왼손은 왼쪽, 오른손은 오른쪽

인형 / 사탕 / 가위

인형은 맨 왼쪽에 있습니다. (○)

사탕은 맨 오른쪽에 있습니다. (✕)

① 칫솔 / 수건 / 비누

비누는 가운데에 있습니다. (✕)

칫솔은 맨 왼쪽에 있습니다. (○)

수건은 비누 바로 오른쪽에 있습니다. (✕)

② 공 / 저금통 / 가방 / 팽이

팽이는 맨 오른쪽에 있습니다. (○)

가방은 팽이 바로 왼쪽에 있습니다. (○)

저금통은 공 바로 왼쪽에 있습니다. (✕)

③ 딸기 / 수박 / 사과 / 귤

사과는 맨 왼쪽에 있습니다. (✕)

딸기는 수박 바로 왼쪽에 있습니다. (○)

수박은 사과와 귤 사이에 있습니다. (✕)

DAY 4

선반 위 나란히 (2)

✎ 설명을 보고 선반 위의 빈칸에 알맞은 물건의 이름을 써넣으세요.

❶

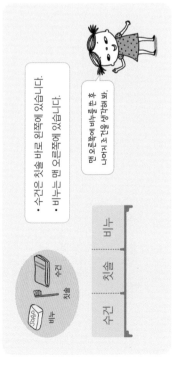

- 수건은 칫솔 바로 왼쪽에 있습니다.
- 비누는 맨 오른쪽에 있습니다.

맨 오른쪽에 비누를 쓴 후 나머지 조건을 생각해 봐.

수건	칫솔	비누

- 인형 바로 왼쪽에 가위가 있습니다.
- 인형 바로 오른쪽에 사탕이 있습니다.

가위	인형	사탕

---

❷

- 사과 바로 왼쪽에 딸기가 있습니다.
- 수박은 사과 바로 오른쪽에 있습니다.
- 꿀은 맨 왼쪽에 있습니다.

꿀	딸기	사과	수박

---

❸

- 가방 바로 왼쪽에 팽이가 있습니다.
- 팽이와 공은 옆에 있지 않습니다.
- 저금통은 맨 오른쪽에 있습니다.

팽이	가방	공	저금통

DAY 5

서랍장 정리

✏️ 설명을 보고 서랍장의 빈칸에 알맞은 물건의 이름을 써넣으세요.

 인형   가위  사탕 공

가위	인형
공	사탕

먼저 인형의 위치를 찾아봐.

- 인형은 오른쪽 위에 있습니다.
- 공은 사탕 바로 왼쪽에 있습니다.

① 연필 지우개 가위

지우개	
가위	연필

- 지우개는 위에 있습니다.
- 가위는 연필 바로 왼쪽에 있습니다.

---

pensées

② 접시 주전자 숟가락 국자

숟가락	주전자
접시	국자

- 주전자와 국자는 모두 오른쪽에 있습니다.
- 숟가락은 왼쪽 위에 있습니다.
- 접시는 국자 바로 옆에 있습니다.

③ 야구공   농구공   배구공

축구공	야구공	농구공
	배구공	

- 야구공과 축구공은 위에 있습니다.
- 배구공 바로 위에 야구공이 있습니다.

확인학습

✎ 설명을 보고 선반 위의 빈칸에 알맞은 물건의 이름을 써넣으세요.

❶

지우개 딱풀 연필 가위

- 지우개의 왼쪽에는 아무것도 없습니다.
- 딱풀은 가위와 연필 사이에 있습니다.
- 연필은 맨 오른쪽에 있습니다.

지우개	가위	딱풀	연필

✎ 설명을 보고 서랍장의 빈칸에 알맞은 물건의 이름을 써넣으세요.

❷

당근 양파 배추 오이

- 당근은 맨 위에 있습니다.
- 배추는 양파 바로 왼쪽에 있습니다.

당근		
오이	배추	양파

마무리 평가

TEST 1

마무리 평가

❖ 원숭이가 바나나 껍질을 피해 모든 방을 한 번씩 지나 나무까지 가는 길을 그려 보세요.

①

②

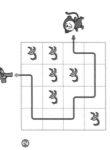

❖ 화살표 방향으로 갈수록 수가 점점 커지도록 빈칸에 다음 수들을 한 번씩 써넣으세요.

③

④

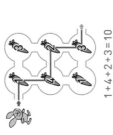

❖ 토끼가 오른쪽 또는 아래로만 움직여서 당근을 가장 많이 모으는 길을 그려 보세요.

⑤

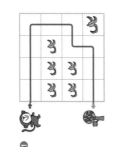

$1+4+2+3=10$

⑥

$1+3+4+1=9$

❖ 그림을 보고 옳은 말에 ◯표, 틀린 말에 ✕표 하세요.

⑦

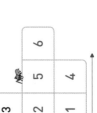

| 축구공 | 배구공 | 야구공 | 농구공 |

배구공은 축구공과 야구공 사이에 있습니다. (◯)

야구공은 축구공과 배구공 사이에 있습니다. (✕)

농구공은 야구공 바로 오른쪽에 있습니다. (◯)

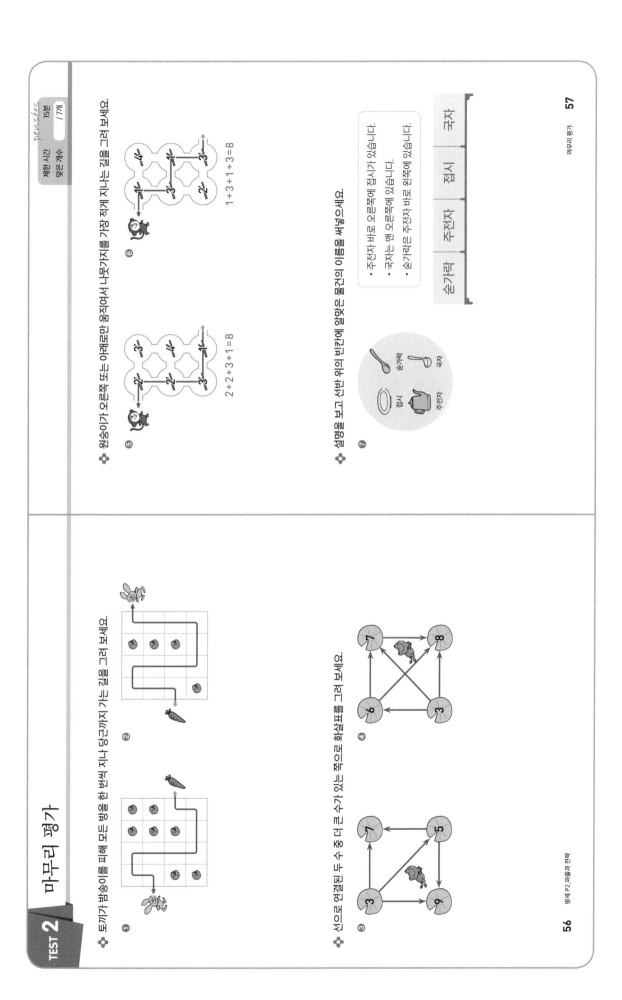

마무리 평가

❖ 토끼가 밤송이를 피해 모든 방을 한 번씩 지나 당근까지 가는 길을 그려 보세요.

①

②

❖ 선으로 연결된 두 수 중 더 큰 수가 있는 쪽으로 화살표를 그려 보세요.

④

⑩

❖ 원숭이가 오른쪽 또는 아래로만 움직여서 나뭇가지를 가장 적게 지나는 길을 그려 보세요.

⑤

2 + 2 + 3 + 1 = 8

⑥

1 + 3 + 1 + 3 = 8

❖ 설명을 보고 선반 위의 빈칸에 알맞은 물건의 이름을 써넣으세요.

⑦

• 주전자 바로 오른쪽에 접시가 있습니다.
• 국자는 맨 오른쪽에 있습니다.
• 숟가락은 주전자 바로 왼쪽에 있습니다.

| 숟가락 | 주전자 | 접시 | 국자 |

마무리 평가

TEST 3 마무리 평가

제한 시간 15분
맞은 개수 /7개
pensées

❖ 돼지가 늑대를 피해 모든 방을 한 번씩 지나 집까지 가는 길을 그려 보세요.

①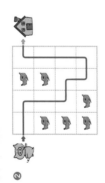

②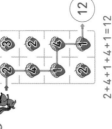

❖ 화살표가 가리키는 수가 더 크도록 ○ 안에 다음 수들을 한 번씩 써넣으세요.

③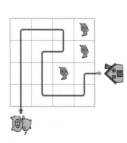

④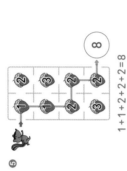

❖ 다람쥐가 길을 따라가며 모으는 도토리의 수를 구해 보세요.

⑤
1+1+2+2+2=8
8

⑥
2+4+1+4+1=12
12

❖ 설명을 보고 서랍장의 빈칸에 알맞은 물건의 이름을 써넣으세요.

⑦

- 공은 가위 바로 위에 있습니다.
- 사탕은 맨 오른쪽에 있습니다.

| 공 | 인형 | 사탕 |
| 가위 | 인형 | 사탕 |

TEST 4

마무리 평가

❖ 강아지가 모든 방을 한 번씩 지나 먹이까지 갈 수 있도록 1부터 6까지의 수를 순서대로 연결하세요.

①

②

❖ 화살표가 가리키는 수가 더 크도록 ◯ 안에 다음 수들을 한 번씩 써넣으세요.

③

| 3 | 4 | 5 | 6 |

④

| 1 | 2 | 7 | 8 |

❖ 도토리 수의 합이 ◯ 안의 수가 되도록 길을 그려 보세요.

⑤

| 3 | 4 | 2 |
| 1 | 2 | 1 |

10

1 + 3 + 4 + 2 = 10

⑥

| 3 | 2 | 1 |
| 1 | 4 | 3 |

9

1 + 4 + 3 + 1 = 9

❖ 그림을 보고 다음 중 옳은 말에 ◯표, 틀린 말에 ✕표 하세요.

⑦

4층	
3층	
2층	
1층	

🐻 는 3층에 살고 있습니다.   (✕)

🐿 는 2층에 살고 있지 않습니다.   (◯)

🐠 은 4층에 살고 있습니다.   (◯)

마무리 평가

TEST 5

pensées
제한 시간 15분
맞은 개수 /6개

◆ 공주가 모든 방을 한 번씩 지나 사과까지 갈 수 있도록 1부터 6까지의 수를 순서대로 연결하세요.

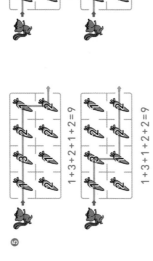

이외에도 여러 가지 방법이 있습니다.

◆ 화살표 방향으로 갈수록 수가 점점 커지도록 빈칸에 다음 수들을 한 번씩 써넣으세요.

❸ 1 3 5 7

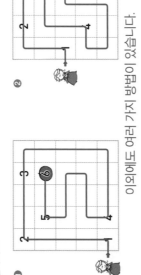

❹ 4 5 7 8

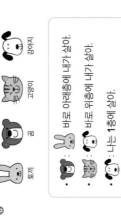

◆ 당근을 가장 많이 모을 수 있는 길을 찾아 ○표 하세요.

❺

1+3+2+2+2=10

1+2+1+2+2=8

1+3+2+1+2=9

1+3+1+2+2=9

◆ 대화를 보고 몇 층에 어떤 동물이 살고 있는지 찾아 양옆은 동물의 이름을 써넣으세요.

❻

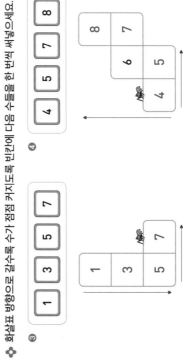

토끼 곰 고양이 강아지

강아지: 바로 아래층에 내가 살아.

곰: 바로 위층에 내가 살아.

토끼: 나는 1층에 살아.

4층	토끼
3층	곰
2층	고양이
1층	강아지

pensées

pensées

씨투엠 **지식과상상** _{연구소} since 2013
교재 소개 및 난이도 안내

*일부 교재 출시 예정입니다.

			하	중	상
도형	도형 학습 스타트 **플라토**	6세 ~ 초6			
연산	연산의 새로운 기준 **칸토의 연산**	5세 ~ 초6			
연산	연산으로 상위권 점프 **응용연산**	6세 ~ 초6			
서술형	수학 실력은 결국 독해력 **수학독해**	6세 ~ 초6			
사고력	반드시 필요한 사고력만 **팡세**	6세 ~ 초6			
예비초등수학	쉽게, 빠르게, 재미있게 **구구단**	5세 ~ 초2			
예비초등수학	저학년 시간 학습 준비 끝 **시계와 달력**				
예비초등수학	꼭 알아야 할 실생활 수학 **길이와 화폐**				
예비초등수학	기초 튼튼, 개념 탄탄 **분수**				

Man is but a reed,
the most feeble thing in nature;
but he is a thinking reed,

"인간은 자연에서 가장 연약한 갈대에 불과하다.
하지만 인간은 생각하는 갈대이다."

Blaise Pascal, 블레즈 파스칼

펜토미노턴

평면 공간감각을 길러주는 회전 펜토미노 퍼즐

초등학생들이 어려워하는 '평면도형의 이동'을 펜토미노와 패턴블록으로 도형을 직접 돌려 보며 재미있게 해결하는 공간감각 퍼즐입니다.

큐브빌드

입체 공간감각을 길러주는 멀티큐브 퍼즐

머릿속으로 그리기 어려운 입체도형을 쌓기나무와 멀티큐브를 이용하여 직접 만들어 위, 앞, 옆 모양을 관찰하고, 다양한 입체 모양을 만드는 공간감각 퍼즐입니다.

폴리탄

도형 감각을 길러주는 입체 칠교 퍼즐

정사각형을 7조각으로 자른 '입체 칠교'와 직각이등변삼각형을 붙인 '입체 볼로'를 활용하여 평면뿐만 아니라 다양한 입체도형 문제를 해결하는 퍼즐입니다.

트랜스넘버

자유자재로 식을 만드는 멀티 숫자 퍼즐

자유자재로 식을 만들고 이를 변형, 응용하는 활동을 통해 연산 원리와 연산감각을 길러주는 멀티 숫자 퍼즐입니다.

머긴스빙고

수 감각을 길러주는 창의 연산 보드 게임

빙고 게임과 머긴스 게임을 활용하여 수 감각과 연산 능력을 끌어올리고 전략적 사고를 키우는 사고력 보드 게임입니다.

폴리스퀘어

공간감각을 길러주는 입체 폴리오미노 보드 게임

모노미노부터 펜토미노까지의 폴리오미노를 이용하여 다양한 모양을 만들어 보고, 여러 가지 땅따먹기 게임 등을 통해 공간감각을 기를 수 있는 보드 게임입니다.

큐보이드

입체를 펼치고 접는 전개도 퍼즐

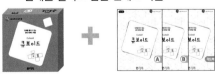

여러 가지 모양의 면을 자유롭게 연결하여 접었다 펼치는 활동을 통해 정육면체, 직육면체 전개도의 모든 것을 알아보는 전개도 퍼즐입니다.